# Spielerisch Deutsch lernen

## Spaß mit ersten Wörtern

**Illustration und Konzept: Corina Beurenmeister**

**Hueber Verlag**

Sprich die Wörter laut aus. Wo hörst du ein E? Am Anfang oder am Ende des Wortes? Kreuze die Schnecke an der passenden Stelle an.

Hör genau. Immer zwei Wörter reimen sich. Male sie in der gleichen Farbe an.

Kannst du die Anfangsbuchstaben der Wörter nachfahren? Versuche es einmal.
Weißt du auch, wie die Buchstaben jeweils heißen?

.... NTE

.... UT

.... ASE

.... SEL

In diesem Buchstabensalat hat sich ein Wort versteckt. Weißt du, welches?
Male das richtige Bild an.

HAUS

HUT

HASE

Sprich die Wörter laut aus und klatsche dabei die Silben.
Male für jede Silbe einen Bogen unter das Wort.

WOLKE

MOND

VOGEL

REGEN

SONNE

Fahre die Wörter auf den Preisschildern farbig nach.
Versuche dabei auf den gepunkteten Linien zu bleiben.

Sprich die Dinge laut aus. Welche Wörter enden mit einem L? Kreise sie ein.

Was gehört zusammen? Male Wort und Bild in der gleichen Farbe an.

Kannst du die gepunkteten Buchstaben nachfahren? Versuche es einmal.
Weißt du auch, wie die Buchstaben jeweils heißen?

PUPPE

VASE

TOR

BILD

BETT

Die Giraffe Gabi sucht alle Wörter, die ein Obst bezeichnen. Hilfst du ihr dabei?
Male das Obst bunt an.

Sprich die Wörter laut aus. Wo hörst du ein O? Am Anfang oder am Ende des Wortes?
Kreuze die Raupe an der passenden Stelle an.

Hör genau. Immer zwei Wörter reimen sich. Male sie in der gleichen Farbe an.

Sprich die Wörter laut aus. Welche sind lang und welche kurz? Streiche die kurzen Wörter durch.

Kannst du dem Löwen Leo beim Malen helfen?
Male alle Felder rot aus, in denen das Wort »ROT« steht.

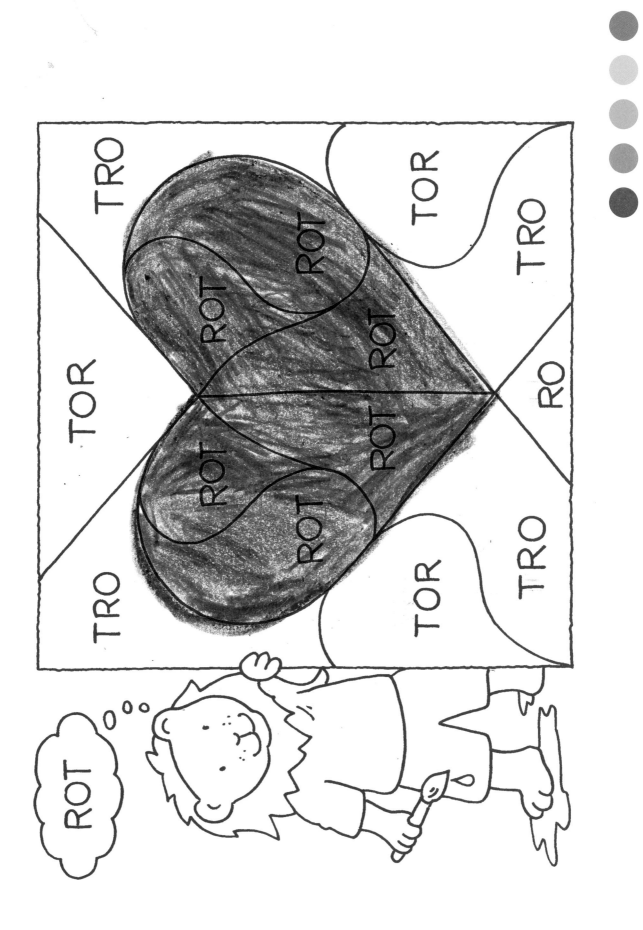

In allen Wörtern fehlt ein I. Kannst du es dazuschreiben?

....GEL

T...SCH

D...NO

F...SCH

P...LZ

Die Geschichte ist durcheinandergeraten. Kannst du sie richtig ordnen?
Erzähle die Geschichte nach und male Würfelaugen in die Kästchen.

Aus zwei Wörtern ergibt sich ein neues. Probiere aus und verbinde die Paare mit einer Linie.

In diesem Buchstabensalat hat sich ein Wort versteckt. Weißt du, welches?
Male das richtige Bild an.

BERG

BLUME

BLATT

Schreibe die fehlenden Buchstaben in die Wörter.
Versuche dabei auf der gepunkteten Linie zu bleiben.
Weißt du auch, wie die Buchstaben jeweils heißen?

PONY

PIZZA

TURM

BALL

HEXE

Leo sucht alle Wörter, die ein Tier bezeichnen. Hilfst du ihm dabei? Male das Tier bunt an.

Immer zwei Wörter bilden einen Gegensatz. Findest du alle Paare? Verbinde sie.

DÜNN

GROSS

LEER

KURZ

ALT

LANG

VOLL

DICK

KLEIN

NEU

Kannst du Gabi beim Malen helfen? Male alle Felder gelb aus, in denen das Wort »GELB« steht.

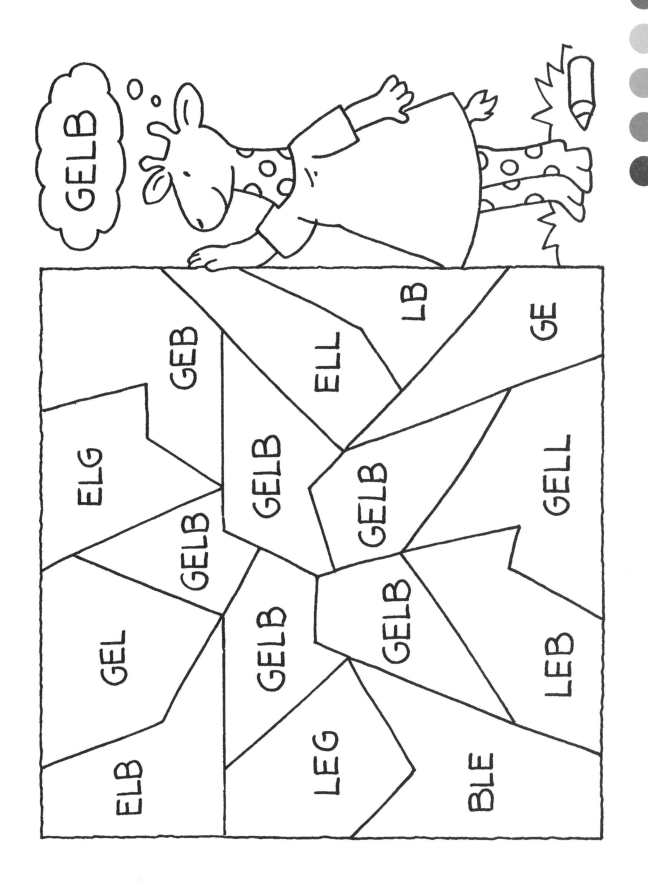

In allen Wörtern fehlt ein O. Kannst du es dazuschreiben?

HOSE

UFO

DOSE

VOGEL

ROSE

Hör genau. Immer zwei Wörter reimen sich. Male sie in der gleichen Farbe an.

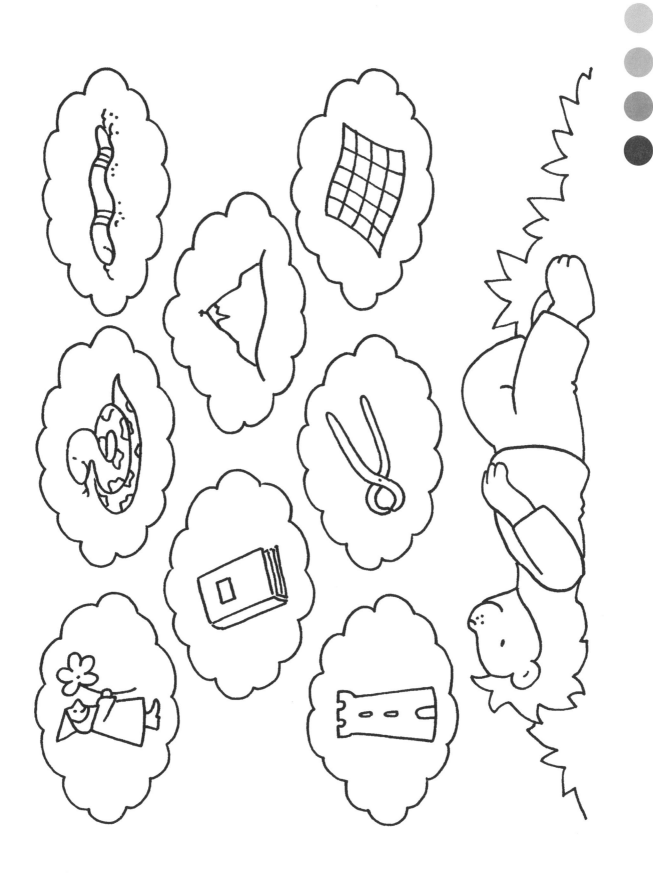

Manche Dinge heißen gleich, obwohl sie etwas anderes bezeichnen. Verbinde die Bilder, bei denen du das gleiche Wort verwendest. Findest du die Paare?

Fahre die Wörter auf den Kisten farbig nach. Versuche dabei auf den gepunkteten Linien zu bleiben.

Kannst du die Anfangsbuchstaben der Wörter nachfahren? Versuche es einmal.
Weißt du auch, wie die Buchstaben jeweils heißen?

ZWERG

RAUPE

RABE

ZEBRA

Die Geschichte ist durcheinandergeraten. Kannst du sie richtig ordnen?
Erzähle die Geschichte nach und male Würfelaugen in die Kästchen.

Sprich die Wörter laut aus und klatsche dabei die Silben.
Male für jede Silbe einen Bogen unter das Wort.

PILZ

IGEL

REGENWURM

ERDBEERE

BLUME

Was gehört zusammen? Male Wort und Bild in der gleichen Farbe an.

In allen Wörtern fehlt ein S. Kannst du es dazuschreiben?

ᴖONNE    DOᴖE

ᴖHOᴖE

ᴖHAᴖE    AᴖT

Kannst du Leo beim Malen helfen? Male alle Felder grün aus, in denen das Wort »GRÜN« steht.

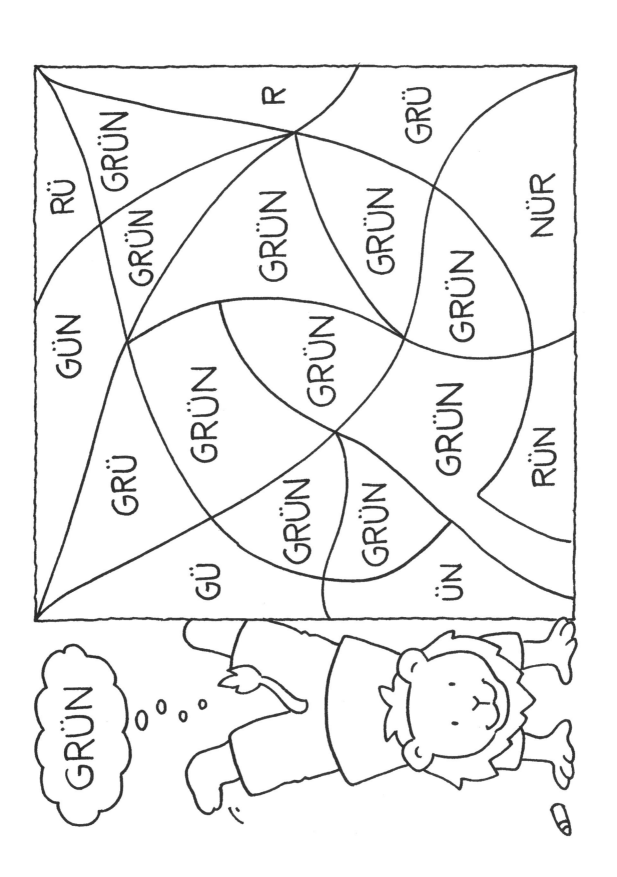

Sprich die Wörter laut aus. Welche sind lang und welche kurz? Streiche die langen Wörter durch.

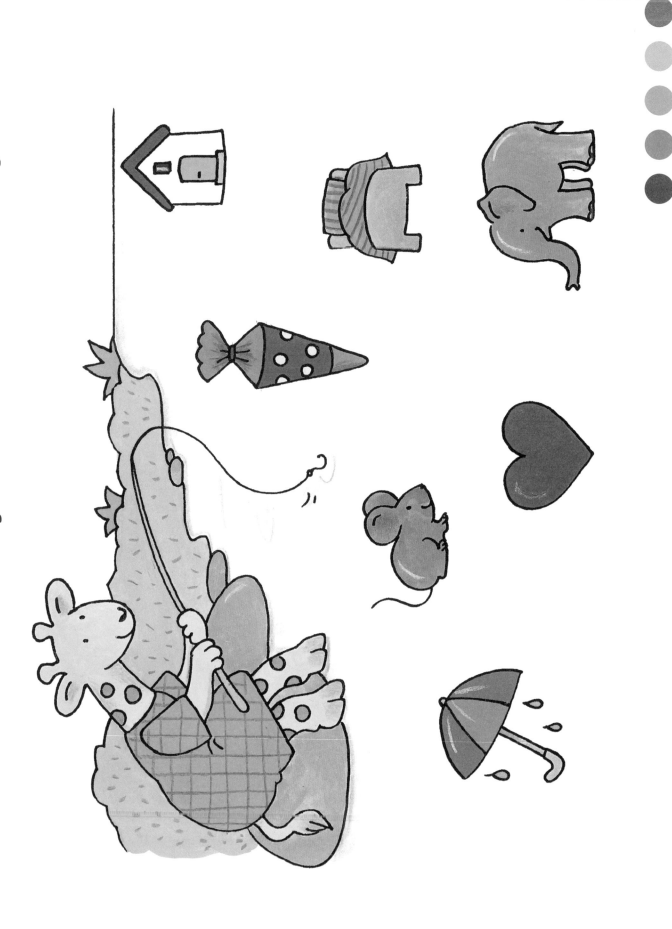

In diesem Buchstabensalat hat sich ein Wort versteckt.
Weißt du, welches? Male das richtige Bild an.

ELEFANT

ENTE

ESEL

L E S E

Aus zwei Wörtern ergibt sich ein neues. Probiere aus und verbinde die Paare mit einer Linie.

Schau dir die Dinge genau an. Einige davon haben etwas gemeinsam. Sie bilden eine Gruppe.
Male sie bunt an. Wie heißt der Oberbegriff dazu?

In allen Wörtern fehlt ein M. Kannst du es dazuschreiben?

KA . . . . EL

BLU . . . E

. . . OND

HE . . . D

. . . ANN

Fahre die Wörter farbig nach. Versuche dabei auf den gepunkteten Linien zu bleiben.

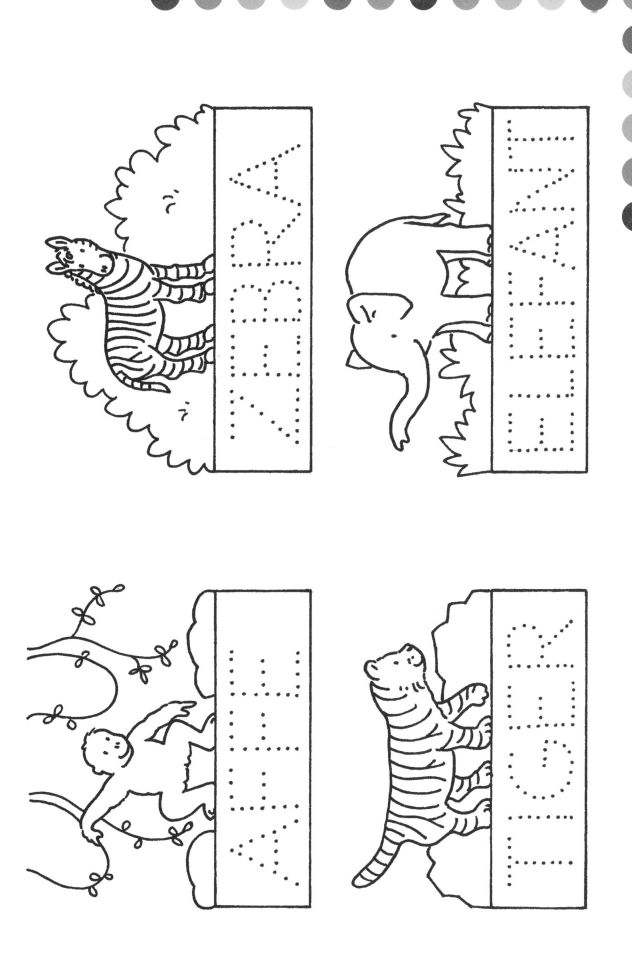

Leo überlegt. Immer zwei Wörter bilden einen Gegensatz. Findest du alle Paare? Verbinde sie.

SCHWER

KALT

WEICH

HEISS

DUNKEL

LEICHT

HELL

HART

Gabi verzaubert bei jedem Wort einen Buchstaben.
Male den Buchstaben bunt an, der das Wort jeweils ändert.

Sprich die Wörter laut aus. Wo hörst du ein M? Am Anfang oder am Ende des Wortes?
Kreuze die Wolke an der passenden Stelle an.

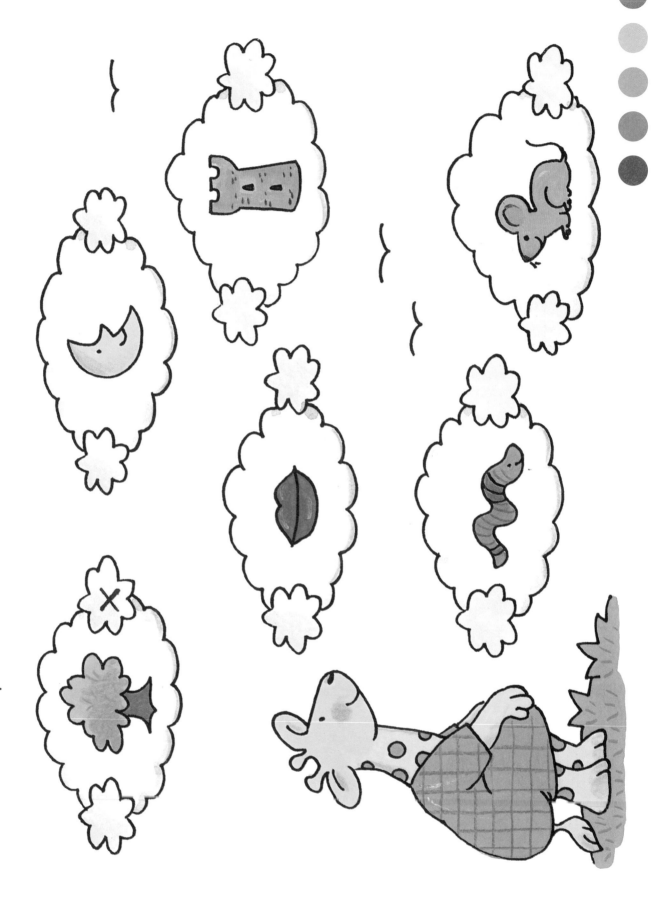

Kannst du Leo beim Malen helfen? Male alle Felder blau aus, in denen das Wort »BLAU« steht.

Manche Dinge heißen gleich, obwohl sie etwas anderes bezeichnen. Verbinde die Bilder, bei denen du das gleiche Wort verwendest. Findest du die Paare?

Schau dir die Dinge genau an. Einige davon haben etwas gemeinsam. Sie bilden eine Gruppe. Male sie bunt an. Wie heißt der Oberbegriff dazu?

Sprich die Dinge laut aus. Welche Wörter enden mit einem A? Kreise sie ein.

In allen Wörtern fehlt ein N. Kannst du es dazuschreiben?

DI...O

A...A...AS

A...MO...D

PO...Y

URKUNDE

für

........................